Dans la même collection

Conception graphique et réalisation : Sarbacane Design

© Éditions Fleurus 1997
11 rue Duguay-Trouin, 75006 Paris
Dépôt légal : septembre 1997
ISBN : 2.215.05070.5

Exclusivité au Canada
Éditions École Active
2244, rue de Rouen
Montréal, Qué. H2K IL5

Dépôts légaux : 3e trimestre
Bibliothèque nationale du Québec, 1997
Bibliothèque nationale du Canada, 1997
ISBN : 2.89069.496.8

P I E R R E   K O H L E R

Voyage d'une goutte d'eau

ÉDITIONS FLEURUS & ÉCOLE ACTIVE

Au lecteur...

C'est parce que l'eau existe à l'état liquide sur notre planète que la vie

a pu apparaître sur Terre. Tour à tour glace, liquide ou vapeur,

l'eau accomplit depuis plus de quatre milliards d'années

un extraordinaire circuit, toujours recommencé.

En suivant les pérégrinations d'une intrépide goutte d'eau,

le lecteur comprendra mieux les potentiels de ce liquide étonnant.

Qu'elle soit ballottée au sein des nuages ou entraînée au plus profond

des abysses, gelée dans la banquise ou au repos dans un lac,

saupoudrée sous forme de neige ou jaillissant brûlante d'un geyser,

l'eau nous conduit jusque dans les moindres recoins de notre

planète bleue et nous livre les secrets de son histoire...

Bien qu'elle paraisse inépuisable, l'eau se fait de plus

en plus rare et polluée. En quantité comme en

qualité, elle est l'un des grands enjeux des années

à venir : à charge pour chacun de la respecter...

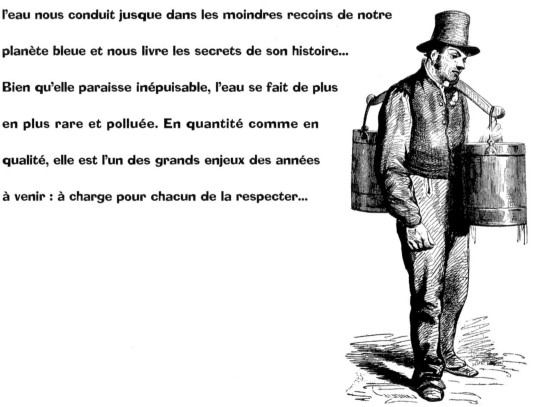

Sommaire

L'eau des océans

Mon existence a commencé en enfer. Autour de moi, tout était sombre et il faisait très chaud. Le magma qui m'emprisonnait a mis des siècles à se rapprocher de la surface de la Terre, et lorsqu'il est parvenu dans la cheminée du volcan, les choses se sont précipitées. J'ai soudain jailli à l'air libre dans un déchaînement de roches en fusion, de cendres, de gaz et de vapeurs. Soudain libre dans mon panache de vapeur d'eau, j'ai pris mon autonomie dans le ciel. J'étais devenue goutte d'eau...

Quelque 600 millions d'années après la naissance de la Terre, la croûte terrestre s'est refroidie et fissurée. Par ces failles, volcans et geysers* ont jailli en libérant de la vapeur d'eau.

La naissance des océans

Le ciel s'est totalement obscurci de nuages et des pluies diluviennes se sont alors abattues avec violence sur la Terre. En quelques dizaines de millions d'années, elles ont rempli les grands bassins, qui sont devenus des océans. Ces immenses étendues marines font que la Terre mérite bien, aujourd'hui, son surnom de "planète bleue".

Une perpétuelle mutation

Les océans, point de départ – et terminus provisoire – du grand cycle de l'eau, dominent par leur étendue la surface de la Terre, qu'ils recouvrent presque aux trois quarts. Ils contiennent une masse d'eau colossale, évaluée à 1 350 milliards de milliards de litres, de quoi remplir une gigantesque piscine cubique de 1 100 km de côté. Pourtant, si la Terre avait la taille d'une orange, toute cette eau se réduirait à une seule goutte étalée à sa surface !

Les océans ne sont pas figés dans leurs contours : ils naissent, se développent et meurent. La mer Rouge est un océan en train de naître et va continuer de s'élargir dans les millions d'années qui viennent, alors que l'Atlantique est en pleine maturité et que le Pacifique a commencé à rétrécir.

La dérive des continents entraîne la plongée du plancher océanique sous les continents (subduction) et fait naître des volcans.

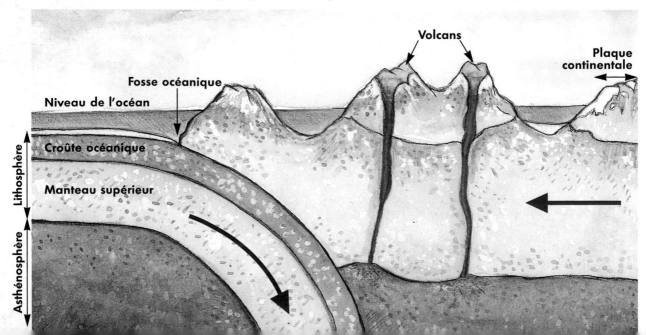

Volcans

Plaque continentale

Fosse océanique

Niveau de l'océan

Croûte océanique

Manteau supérieur

Lithosphère

Asthénosphère

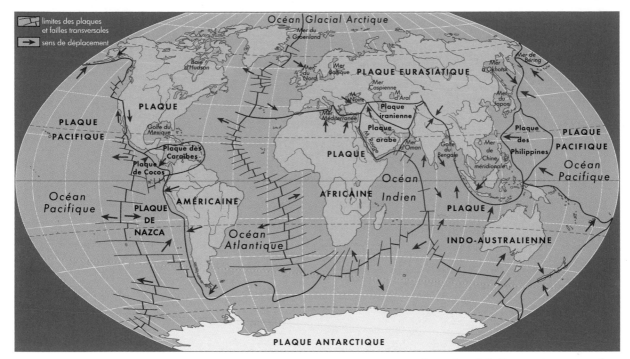

limites des plaques
et failles transversales

sens de déplacement

Océan Glacial Arctique

Mer du
Groenland

Mer
du
Nord

Mer
Baltique

PLAQUE EURASIATIQUE

Mer
d'Okhotsk

Mer
de Béring

Baie
d'Hudson

Mer
Caspienne   M.
          d'Aral

Mer
du
Japon

PLAQUE

Mer Noire

Mer Méditerranée

Plaque iranienne

PLAQUE PACIFIQUE

Golfe du Mexique

Plaque arabe

Mer
d'Oman

Mer Rouge

Golfe
du
Bengale

Mer
de
Chine
méridionale

Plaque des Philippines

PLAQUE PACIFIQUE

Plaque des Caraïbes

PLAQUE

Océan Pacifique

Plaque de Cocos

Océan Pacifique

AMÉRICAINE

AFRICAINE   Océan Indien

PLAQUE
DE
NAZCA

PLAQUE

Océan Atlantique

INDO-AUSTRALIENNE

PLAQUE ANTARCTIQUE

Eau salée, eau douce

Chaque litre d'eau de mer renferme en moyenne 35 g de sel, mais à l'origine les océans étaient remplis d'eau douce ! Les eaux de pluie ruissellent sur le sol, dissolvent les sels minéraux des roches et rejoignent les fleuves. Ceux-ci sont perpétuellement renouvelés et leur salinité reste négligeable. En revanche, ces sels s'accumulent dans l'Océan. La salinité varie selon la température et le débit des fleuves : de 2,5 g/l en Baltique à 40 g/l en mer Rouge.

Les différences de température et de salinité créent des courants qui traversent parfois tout un océan. Ce sont de véritables fleuves océaniques, parcourant des milliers de kilomètres et transportant d'énormes volumes d'eau. Le Gulf Stream, par exemple, a un débit 90 fois supérieur à celui de tous les fleuves du monde réunis ! Ce courant chaud naît dans le Golfe du Mexique, traverse l'Atlantique jusqu'en Irlande et remonte le

long de la Scandinavie. Ainsi, les côtes de Norvège ne gèlent jamais en hiver. Inversement, le courant de Humbold emporte les eaux froides de l'Antarctique jusqu'à la côte occidentale de l'Amérique du Sud, refroidissant le Chili et le Pérou. Les mers et les océans contiennent à eux seuls 97 % de toute l'eau présente sur Terre. Les eaux douces ne représentent donc pas grand chose, d'autant que pour les deux tiers elles se trouvent sous forme de glace, aux pôles ! Il subsiste quand même 8 milliards de milliards de litres d'eau douce liquide, répartis entre les eaux souterraines, invisibles, et les eaux de surface qui courent dans les fleuves, rivières, ruisseaux et torrents.

La surface de la Terre se découpe en plaques tectoniques qui bougent très lentement les unes par rapport aux autres.

Cette photo de l'océan Atlantique, prise par satellite, révèle les variations de température dues au passage du Gulf Stream grâce à un codage de couleurs : zones chaudes (24-28 °C) en rouge-orange, zones froides (2-9 °C) en violet, températures intermédiaires en jaune, vert et bleu.

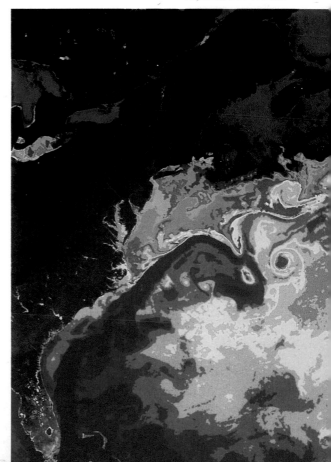

Des nuages et de la pluie

Poussée par le vent, ignorant les frontières tracées par les hommes, je suis rejointe dans le ciel par des milliards d'autres gouttelettes évaporées. Nous formons alors, pour un temps, la grande famille des nuages. Bientôt nous nous séparerons pour reformer ailleurs, un autre jour, d'autres nuages. Une main invisible nous maintient en suspension dans l'air. Délicieuse sensation. Je franchis ainsi plusieurs milliers de kilomètres. Soudain, le courant d'air ascendant qui me maintenait en suspension disparaît, et me voilà précipitée vers le sol.
Je suis devenue goutte de pluie...

Chauffée par le soleil, une partie de l'eau des océans s'évapore. Plus légère que l'air, cette eau monte dans l'atmosphère sous forme de vapeur d'eau, invisible. Ce mouvement fait que petit à petit elle se refroidit et se condense, car une masse d'air froid ne peut pas contenir autant d'humidité qu'une masse d'air chaud. Ce refroidissement transforme donc la vapeur en gouttes d'eau ou en cristaux de glace. Le phénomène est le même pour la rosée, lorsque l'humidité de la nuit "transpire" sur les feuilles et les pétales des fleurs devenus plus froids au petit matin.

La formation des nuages

Quand cette condensation se produit dans l'atmosphère, ce sont des nuages qui apparaissent. Ils forment une famille variée, des cirrus glacés, très élevés, aux brouillards des stratus. Ces gouttelettes d'eau et ces cristaux de glace génèrent toute une série de phénomènes atmosphériques : du grand cercle irisé des halos aux arches colorées des arcs-en-ciel.

Pourquoi pleut-il ?

L'eau s'évade continuellement des continents et des océans, mais cette aventure s'achève toujours par le retour de la fugitive à son premier domaine, sous forme de pluie ou de neige. Chaque seconde, quelque 10 millions de litres d'eau chauffés par le Soleil s'évaporent ainsi de la surface des océans, tandis qu'une quantité à peu près équivalente tombe ailleurs sous forme de pluie. Il pleut lorsque les gouttelettes d'eau sont devenues trop grosses pour être supportées par les courants d'air ascendants. Arrivées au sol, elles donnent de la bruine, de la pluie ou des averses.

Tombe la grêle !

Il existe aussi des averses de grêle. Pour qu'un grêlon se forme, il faut des vents ascendants capables de faire grimper très haut les noyaux

Toute masse d'air qui se refroidit en prenant de l'altitude donne naissance à un nuage. Ceux de type cumulus sont les plus instables. En prenant du volume, ils sont parcourus de violents courants d'air ascendants et descendants, générateurs de pluie, tandis que la partie supérieure du nuage s'étale comme une enclume.

de glace formés lors d'un brusque refroidissement. Pendant qu'il remonte dans le nuage, de nouvelles couches de glace se déposent sur le petit noyau d'origine, et l'on peut en compter une vingtaine disposées comme des pelures d'oignons.

Des précipitations inégales

De la pluie dépend la vie à la surface de la planète. Il suffit de comparer les forêts équatoriales luxuriantes avec la végétation maigre et rabougrie des steppes. Les conditions qui provoquent la pluie ne sont pas partout présentes. Il s'ensuit une distribution très irrégulière de la pluviosité à la surface de la Terre. Dans le bassin de l'Amazone, ou sur la côte occidentale de l'Inde, il pleut presque tous les jours. La péninsule Arabique, l'Asie centrale ou le centre de l'Australie sont au contraire désertiques. Dans le désert d'Atacama, au Chili, la pluie peut manquer pendant plusieurs années. En revanche, il tombe tous les ans une douzaine de mètres d'eau sur l'île de la Réunion

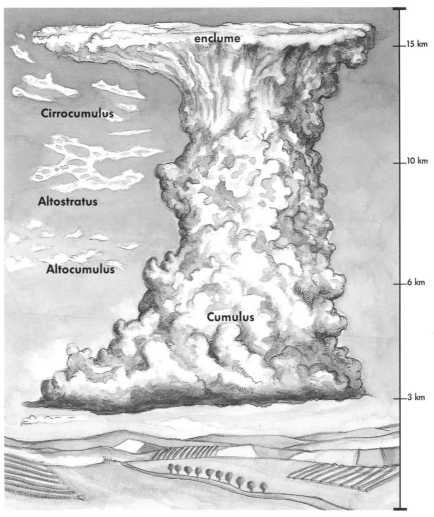

Les nuages forment une vaste famille. Ils peuvent prendre une multitude de formes.

(voir carte p. 37). Une piscine vide le 1er janvier sera, le 31 décembre suivant, remplie à hauteur de 3 m à Panama (on n'y aurait pas pied !), 60 cm (un petit bain !) à Paris, et seulement 2 cm au Sahara…

Dans certains déserts, il arrive qu'il ne tombe pas une seule goutte d'eau tout au long de l'année.

L'eau, associée à la chaleur, favorise l'exubérance des plantes en forêt amazonienne.

Flocons de neige et déserts de glace

Après quelques semaines, je suis retombée en pluie sur l'Océan. Mon existence ne serait-elle qu'un va-et-vient entre l'Océan et les nuages, entre les nuages et l'Océan ? Heureusement non. Emportée par un courant marin, j'ai finalement rejoint la banquise en formation. À la satisfaction de découvrir un nouveau milieu a pourtant succédé la déception : c'était un piège ! Emprisonnée avec d'autres molécules devenues glace, je n'avais plus qu'à attendre, patiemment, le dégel.

Quand on s'élève, la température baisse d'environ 1°C tous les 200 m ; il arrive donc un moment où les gouttes de pluie se refroidissent au point de se cristalliser en glace.

Les grandes épaisseurs de neige se transforment sous leur propre poids en glaciers bleutés, qui glissent vers l'Océan.

Flocons et cristaux de neige

Dans leur chute, ces cristaux se collent entre eux et absorbent de l'air pour devenir flocons de neige. Les cristaux de neige présentent toujours six branches, mais forment rarement un motif identique de l'un à l'autre. Ils sont si variés que les glaciologues en ont identifié 80 sortes, et que les Esquimaux n'utilisent pas moins de 46 mots pour décrire les différents états de la neige… Au sommet des plus hautes montagnes, où la température reste toujours négative, cette neige est éternelle. Elle tient sur les pentes des montagnes grâce à ses

Les deux pôles de la planète Terre sont très différents : au Nord, l'Océan est recouvert d'une couche de glace, la banquise.

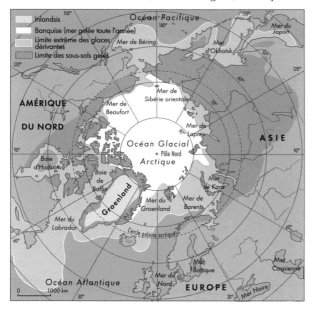

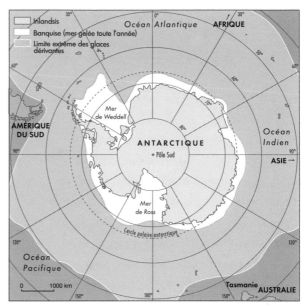

Au Sud, un vaste continent, l'Antarctique, est recouvert de glaciers.

cristaux enchevêtrés, mais c'est un équilibre instable : la moindre perturbation peut déclencher un glissement catastrophique, l'avalanche.

Des réservoirs d'eau gelée

Lorsqu'une grande quantité de neige se compacte sous son propre poids, elle se transforme en glace. Les glaciers ainsi formés coulent ensuite vers la vallée, véritables fleuves solides. Les plus lents ont un mouvement imperceptible et peuvent mettre plusieurs mois pour avancer seulement de 30 cm ; les plus rapides – dans l'Himalaya – progressent de plusieurs mètres par heure.

Les glaciers – surtout les inlandsis* qui recouvrent le Groenland et l'Antarctique – renferment 80 % des réserves d'eau douce de toute la planète. Si l'on pouvait la convertir en eau liquide, cette glace alimenterait tous les fleuves du monde pendant sept siècles ! Le continent Antarctique, au pôle Sud, est un vaste désert de glace, grand comme 25 fois la France. Cette glace est là depuis 15 millions d'années et représente une colossale réserve d'eau. Cette calotte* de glace atteint par endroits 4 700 mètres d'épaisseur. Celle du Groenland, également permanente, n'a "que" 3 millions d'années. Au pôle Nord, la glace flotte sur un océan dont une

partie se réchauffe en été : cette banquise forme une couche solide et continue en hiver et se fracture ou fond partiellement en été à sa bordure extérieure.

La fonte des glaces

Durant la dernière grande glaciation – voilà environ 20 000 ans – une immense calotte de glace recouvrait une grande partie de l'Europe. Seul le Mont-Blanc et quelques autres hauts sommets alpins émergeaient au-dessus de cette vaste couverture blanche. Les glaciations, en immobilisant une grande quantité d'eau douce, ont fait baisser le niveau des océans de 120 mètres. Le contour des côtes était alors bien différent de celui que dessinent les cartes actuelles, et l'on pouvait traverser la Manche à pied ! Inversement, quand les glaciers fondent, les mers s'élèvent parce que l'eau jusque-là piégée retrouve sa place dans les océans. La fonte de ces glaces a pris fin il y a 6 000 ans, provoquant une lente remontée du niveau des mers, qui se poursuit toujours.

Icebergs se détachant de la banquise dans l'Antarctique.

L'eau qui coule

La nuit polaire m'a semblé interminable. Puis le redoux est arrivé, et avec lui un lent courant s'est formé, qui m'a ramenée dans des eaux plus clémentes, où je me suis de nouveau évaporée sous la chaude caresse des rayons solaires. Lorsque, une fois de plus, la pluie a interrompu mon voyage aérien, j'ai eu la surprise de me retrouver au milieu de compagnes de voyage turbulentes, slalomant à toute vitesse entre les rochers d'un torrent...

Emportée par son poids, l'eau de pluie suit les pentes du relief. Si cette pente est forte, comme en montagne, l'écoulement devient torrent et coupe au plus court, cascadant entre les rochers. Si c'est un plat pays, l'eau paresse et serpente en formant des méandres au moindre accident de terrain.

Des petits ruisseaux aux grandes rivières

Près de la mer, le fleuve peut former un estuaire, ou se diviser en plusieurs bras et constituer un delta, comme celui du Rhône ou du Danube. Le plus vaste, celui de l'Okavango, se trouve en Namibie, en Afrique.

L'eau tombée du ciel finit toujours par retrouver la mer, après avoir reçu l'apport des autres cours d'eau qui débouchent sur ses flancs. Le bassin versant est la surface sur laquelle toutes les eaux courent vers un même fleuve. De minces filets d'eau finissent ainsi par se rassembler en petits ruisseaux, qui eux-mêmes – comme le dit la sagesse populaire – font les grandes rivières.

Des fleuves "record"

L'histoire de l'homme est liée aux fleuves, car les grandes civilisations sont nées sur leurs rives. D'Assouan sur le Nil à Vienne sur le Danube, la plupart des grandes cités ont été construites au bord des fleuves. De nombreux cours d'eau délimitent aussi des frontières entre les pays.

Certains fleuves sont remarquables par leur longueur, d'autres par leur débit ou par leur rôle économique. Il existe une cinquantaine de très grands fleuves, les trois plus importants étant le Nil (6 650 km),

L'Amazone, deuxième plus long fleuve de la Terre, naît au Pérou sur le versant oriental de la Cordillière des Andes, puis traverse le Brésil pour déboucher dans l'Atlantique Sud. Son débit est colossal : 150 fois celui du Rhône, le fleuve français le plus fougueux.

À Bruges, en Belgique, le maillage très serré des rues et des canaux confère à la ville sa singularité.

l'Amazone (6 280 km) et le Mississippi (6 260 km). Le plus grand fleuve français, la Loire, est six fois plus court.

L'Amazone est le roi des fleuves par son débit : il déverse dans la mer jusqu'à 212 millions de litres d'eau chaque seconde. Le Zaïre arrive en seconde position, car il ne déplace que la moitié de ce volume. Le débit du Rhône, pour comparaison, est 150 fois plus faible...

Du point de vue de la longueur, le premier fleuve du monde (6 850 km) serait le Mississippi, si l'on considère le Missouri comme son cours supérieur. Car c'est le Mississippi qui se jette dans le Missouri, et non l'inverse. Le fleuve devrait donc s'appeler Missouri sur tout son cours, du Parc de Yellowstone à La Nouvelle-Orléans.

Mais c'est le Mississippi qui a été découvert en premier, d'où le nom donné à l'ensemble du fleuve.

Des fleuves chargés d'histoire

Plus modestes, les fleuves européens ont cependant joué un rôle fondamental. Ils ont en effet favorisé la naissance et le développement de villes prestigieuses, facilité le commerce et délimité des frontières entre de multiples entités linguistiques ou culturelles.

Vue de l'espace, l'embouchure du fleuve Mahakam, à Bornéo (Indonésie), présente un delta très ramifié.

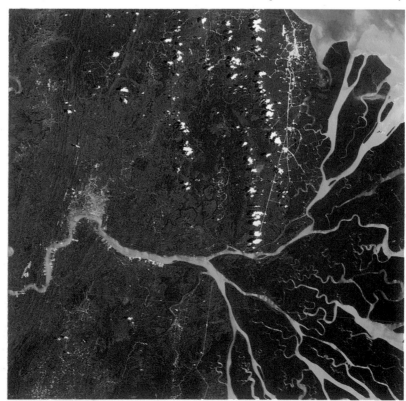

Les eaux calmes

Insensiblement, la pente a diminué et du même coup le rythme des flots qui m'emportaient. J'ai alors eu tout le temps d'admirer le magnifique spectacle de la forêt de sapins enneigés, qui bordait le cours du torrent devenu rivière. Un voyage qui me fit déboucher dans un vaste plan d'eau semblant s'étendre à l'infini... Je venais d'arriver dans un lac.

Sur les continents existent aussi des étendues d'eau calmes. Elles forment des lacs, dont le volume total représente 230 000 milliards de litres. Ces lacs contiennent de l'eau douce, mais ils ressemblent parfois aux mers par leur étendue. Certains sont d'ailleurs de véritables mers intérieures. Ils peuvent aussi être salés, comme la mer Morte (dont l'eau renferme 26 % de sels minéraux !), en raison d'une intense évaporation.

Des lacs géants

Le plus grand lac du monde est la mer Caspienne, dont la superficie (424 000 km²) représente les trois quarts de celle de la France, et un peu plus de dix fois celle de la Suisse ; son eau est salée. En Sibérie, le lac Baïkal s'étire sur 600 km de long. Il est beaucoup plus petit que la Caspienne, mais c'est le lac le plus profond (1 640 m), et le plus grand réservoir d'eau douce

du monde, stockant à lui seul 22 millions de milliards de litres, soit 20 % de toutes les réserves lacustres. Le lac Baïkal est hélas menacé par les industries installées sur ses rives.

Les lacs naissent et meurent

Les lacs n'ont pas une origine unique, et c'est pourquoi leurs formes sont très variées, circulaires ou tout en longueur. Ils peuvent occuper de grandes failles de l'écorce terrestre (c'est le cas de la mer Morte), le lit d'anciens

Ce bateau de pêche échoué marque l'ancien rivage de la mer d'Aral, qui a reculé de 60 kilomètres par endroits.

La mer Morte est le plan d'eau le plus salé du monde, comme en témoignent ces dépôts de sel sur ses bords. Elle s'est installée dans une faille de l'écorce terrestre.

glaciers (lac Léman) ou des cratères volcaniques (lac Pavin en Auvergne). Quelques lacs occupent aussi des bassins préexistants (lac Tchad). Ce dernier a vu sa superficie divisée par 10 en un demi-siècle, à cause de la sécheresse qui affecte la région sahélienne. Plus dramatique encore est le cas de la mer d'Aral, plus vaste que la Suisse, dont le rivage a reculé de 60 km par endroits. Ceci parce qu'en 1963 le gouvernement soviétique a décidé d'irriguer une partie du Kazakhstan avec l'un des deux fleuves qui l'alimentent, afin de transformer cette steppe désertique en région productrice de coton. Cette mer intérieure a perdu ainsi 40 % de sa surface, et son niveau a baissé de 14 m. C'est l'une des plus grosses catastrophes écologiques visible et irréversible. Les bateaux de pêche se retrouvent échoués loin du rivage, dérisoires carcasses à tout jamais inutiles.

Étangs et marais

Les étangs et les marécages sont bien plus modestes par leur superficie. Ils jouent cependant un rôle écologique important. Les marais sont des étendues d'eau peu profondes qui recouvrent un terrain imperméable. Une fois ces marais asséchés, les végétaux se transforment en tourbe. L'un des marais les plus étonnants est celui qui forme les Everglades, au Sud de la Floride.

Il existe aussi des marais littoraux, qui se forment dans les baies en voie de comblement, comme celle du Mont-Saint-Michel. Il peut aussi arriver que des baies s'assèchent après le retrait de la mer, cet assèchement pouvant être accéléré par le drainage des hommes. L'un des plus beaux exemples en France est le Marais poitevin, qui recouvre sur 80 000 hectares l'ancien golfe des Pictons. De celui-ci ne subsiste plus aujourd'hui qu'une baie qui continue de se combler lentement, la baie de l'Aiguillon.

La baie du Mont-Saint-Michel, en voie de comblement, est un bel exemple de marais littoral. L'amplitude des marées y est très importante.

Quand l'eau déborde

Alors que je me prélassais dans mon lac, le redoux a gonflé les eaux en amont, et je me suis sentie entraînée par un courant dans le cours d'un fleuve. Il s'est rapidement élargi et n'a pas tardé à déborder de son lit. C'est ainsi que je me suis retrouvée dans une vaste nappe d'eau, au-dessus de ce qui était encore une prairie quelques heures auparavant.
Comme je plains ces rivières canalisées, languissantes, passant de barrage en barrage, où l'eau n'a plus le temps de reprendre son élan pour vivre...

Sans eau, pas de vie. Mais une eau trop abondante peut aussi détruire la vie ! Inondations, cyclones et pluies de mousson en sont la preuve. L'eau se faufile par la moindre ouverture et s'étale dans tout l'espace qu'elle peut occuper.

Les phénomènes d'inondation

Lorsque des pluies intenses, parfois conjuguées avec la fonte des neiges, s'abattent sur un bassin versant, les cours d'eau ne peuvent les évacuer assez vite et les rivières sortent de leur lit : c'est l'inondation. En 1910, par exemple, Paris fut en grande partie inondé, et l'on y circulait en barque ! Lors d'un violent orage, une vallée encaissée peut canaliser un déferlement torrentiel qui dévaste tout sur son passage, emportant ponts et habitations, comme à

Après les grandes crues de la Seine, la région parisienne a connu, en 1910, la plus grave inondation de son histoire. La barque était alors le seul moyen d'atteindre certaines habitations.

Dans toute l'Asie du Sud-Est – comme ici à Calcutta, en Inde – la mousson déverse chaque année des trombes d'eau. Mais pour les habitants de ces régions, la vie continue !

Vaison-La-Romaine, en 1992. On peut atténuer ces crues en retenant le débit en excès. Le principe consiste à retenir et à stocker l'eau en hiver pour la restituer en été. La région parisienne est ainsi protégée, aujourd'hui, par une succession de barrages sur la Seine et ses affluents. Ces retenues constituent aussi des plans d'eau de loisirs. Les deltas et les estuaires peuvent être inondés lorsqu'une forte tem-pête pousse l'eau de mer vers l'in-térieur. Le Bangladesh subit ces graves inondations lorsqu'aux crues de la mousson s'ajoute un typhon. Mais c'est en Chine que se sont produites les inondations les plus meurtrières, toutes dues au même fleuve, le Yang-Tseu-Kiang ou fleuve Bleu : 6 millions de victimes au total pour trois grandes inondations survenues au cours de ce siècle.

Le déluge : mythe ou réalité ?

La crainte de disparaître sous les eaux est certainement l'une des plus grandes hantises de l'huma-nité. Le déluge est ainsi un thème universel, que l'on retrouve chez presque toutes les civilisations de l'Antiquité, sous des formes plus ou moins similaires. Il exprime la puissance de l'eau et la peur des hommes devant ce cataclysme attribué à la colère divine.

Les Hébreux ont probablement emprunté ce mythe du déluge aux Babyloniens, mais le thème était déjà connu des Sumériens. Dans la Bible, Noé, sa famille et les animaux qu'il avait rassemblés dans l'Arche, échappèrent ainsi au Déluge et s'échouèrent sur le mont Ararat. Toutes ces légendes ont sans doute pour origine les gigan-tesques inondations survenues à la fin de la dernière glaciation, voilà environ 10 000 ans.

Le déluge, inondation qui aurait submergé toutes les terres habitées, est un mythe présent dans toutes les civilisations. Il a ici inspiré cette peinture du XVIIᵉ siècle.

La terre sculptée par l'eau

Avec la montée des eaux pendant l'inondation, le courant s'est accru. Toutes les gouttes d'eau qui voguaient avec moi vers l'embouchure du fleuve ont emporté avec elles un peu de terre. Cette terre est devenue boue, et nous l'avons déposée dans l'estuaire. C'est là que nous avons retrouvé le goût de l'eau salée.

Par l'érosion* très forte qu'elle entraîne, l'eau – encore plus que le vent – façonne le relief de notre planète. L'eau des vagues sape les falaises, leur donne parfois des formes étranges et démantèle les récifs jusqu'à les réduire en galets puis en sable. Les hautes falaises de craie de la Côte normande et de la côte Sud de l'Angleterre sont un magnifique exemple d'érosion littorale, où les vagues usent les rivages sur

lesquels elles se brisent. Les falaises, attaquées par le ressac, finissent par s'effondrer, et reculent en laissant parfois derrière elles des aiguilles de roche plus dure, comme à Étretat, en Normandie.

Quand le littoral avance

L'eau abandonne ce qu'elle transporte dès que sa force décline avec la diminution de la pente, et donc de sa vitesse.

Des alluvions de plus en plus fins se déposent ainsi à l'approche de la mer, ce qui explique l'envasement des estuaires. L'érosion transporte chaque année 25 milliards de tonnes de matériaux vers les océans.

Les plaines fertiles du Nil, par exemple, sont en réalité les limons venus de Haute-Égypte. Ces alluvions peuvent se prolonger en mer et être repris par des courants qui les abandonnent plus loin sur le littoral. Dans ce cas, la côte peut

Les mouvements de l'eau constituent une force d'érosion capable de sculpter les falaises, comme ici, à Étretat, sur la Côte normande.

L'eau qui coule sur des terrains calcaires finit par creuser des vallées encaissées qui forment des canyons, comme celui de la rivière San Juan (Utah) aux États-Unis.

avancer de plusieurs mè t r es par an. C'est ce qui s'est passé en Camargue : la ville d' Aigues-Mortes se trouve aujourd'hui à 8 km à l'intérieur des terres, alors qu'elle se situait au bord de la mer au moment où Saint Louis partit en croisade, en 1248.

L'érosion fluviale

Dans les roches dures, notamment les roches calcaires, les fleuves creusent le fond de la vallée plus rapidement que ne s'usent ses versants, ce qui entraîne la formation de gorges parfois spectaculaires. Celles du Tarn et du Verdon, en France, ont entaillé les plateaux calcaires sur 500 m. L'un des plus beaux exemples d'érosion fluviale se trouve à l'ouest de Las Vegas, où le fleuve Colorado a creusé les

couches géologiques sur plus de 1 500 m de profondeur, mettant à jour la plus belle stratigraphie* du monde. Ce grand Canyon est une véritable archive géologique qui révèle 3 milliards d'années de l'histoire du continent nord-américain.

L'eau de pluie, toujours un peu acide, finit par ronger les roches les plus tendres.

Les univers souterrains de l'eau

Après une succession de cycles de pluies, j'ai connu une expérience extraordinaire. J'avais jusque-là vécu à l'air libre, et voilà que j'entrais dans un monde bien différent : le monde souterrain ! D'innombrables gouttes d'eau, avant moi, avaient creusé la roche au fil des ans, agrandissant cette immense caverne. D'autres gouttes tombaient régulièrement du plafond, déposant l'une après l'autre leur petite charge de calcaire. Ainsi s'étaient formées les stalactites et les stalagmites qui m'entouraient.

L'eau ne reste pas toujours en surface : une partie s'infiltre dans le sol à plus ou moins grande profondeur. Cette eau est stockée dans les nappes phréatiques*. Les prélèvements dans les réserves d'eau souterraines ne sont pas récents : au début de notre ère, on réalisait déjà des forages profonds en enfonçant des tiges de bambou dans le sous-sol. Aujourd'hui, de puissantes pompes assurent un arrosage à grande échelle dans certaines régions de culture intensive, comme pour le blé en Beauce ou le maïs dans les Landes. La forte augmentation des prélèvements d'eau souterraine, pour assurer cette irrigation et pour alimenter les grandes villes et les industries, met parfois l'équilibre de ces nappes en péril, car elles ne se rechargent pas rapidement. Pour atteindre la nappe, l'eau peut mettre aussi bien une journée qu'un siècle. Sa vitesse peut varier d'1 m par an à 1 m par heure, selon la perméabilité des terrains !

Sources et geysers

Parfois, l'eau des nappes jaillit d'elle-même en surface : ce sont les sources. Les nappes aquifères* fuient souvent par ces sources, qui peuvent surgir après un parcours souterrain de plusieurs kilomètres.

La Fontaine de Vaucluse, avec un débit de 125 000 litres par seconde, est la plus importante en France. Il arrive aussi que l'eau souterraine, chauffée par un ancien volcan, jaillisse brutalement du sol sous forme de geysers. Ces manifestations géologiques spectaculaires se produisent lorsque la température du sous-sol porte l'eau à ébullition, l'éjectant par pression de la vapeur.

Puits artésien

Source artésienne

Une nappe d'eau souterraine, comprimée entre des couches de roche perméable et imperméable, peut jaillir du sol sous la pression, en formant un puits artésien artificiel (vertical) ou une source naturelle (horizontale).

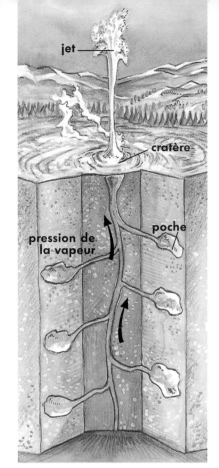

jet

cratère

pression de la vapeur

poche

Chauffée au point de se transformer en vapeur, l'eau qui stagne dans les poches souterraines de régions volcaniques jaillit dès que la pression devient trop forte, en donnant un geyser.

Le geyser jaillit par intermittence. Le "Vieux Fidèle", dans le Parc de Yellowstone aux États-Unis (Wyoming), est un geyser qui peut s'élever jusqu'à 50 mètres de haut.

creusées par l'acidité de l'eau. Ces voies de circulation souterraine forment une hydrographie* invisible qui transporte presque autant de liquide que le réseau superficiel.

... et gouffres sculptés

C'est également l'eau qui est à l'origine de la formation des stalactites et des stalagmites : les gouttes qui tombent des voûtes humides s'évaporent en déposant les minéraux qu'elles renferment, dont le carbonate de calcium donnant du calcaire. Ce même phénomène qui entartre nos canalisations construit ici de curieuses concrétions*. Ces orgues souterraines ne jouent bien entendu aucune musique, mais leurs formes variées sont un régal pour les yeux !

Le geyser jaillit ainsi à intervalles réguliers, jusqu'à épuisement de la poche d'eau. La plus grande concentration de geysers se trouve dans le parc de Yellowstone, aux États-Unis. On en trouve également en Islande, au Japon, au Kamtchatka (Russie) et en Nouvelle-Zélande.

Cavernes peintes...

Les eaux d'infiltration dissolvent les roches calcaires et y percent des trous. Avec le temps, ces passages s'élargissent, tant et si bien qu'après quelques millions d'années ils deviennent des galeries. Sur les parois de ces cavernes, les hommes de l'âge de pierre ont parfois laissé des traces de leur talent, comme dans la grotte Chauvet (Ardèche) ou celle de Cosquer (Bouches-du-

Rhône), récemment découvertes. La côte adriatique de la Yougoslavie offre également un bel exemple de "relief karstique", constitué d'innombrables grottes

Les gouttes d'eau qui tombent du plafond de certaines grottes souterraines déposent lentement de microscopiques particules de calcium. Elles forment ainsi ces magnifiques orgues de pierre que sont les stalactites et les stalagmites.

L'homme a besoin de l'eau

J'aurais aimé m'attarder en ce lieu magique, mais les lois de la gravité m'attiraient insensiblement vers le bas. Elles me conduisirent bientôt vers le flux liquide d'une nouvelle rivière souterraine plutôt étroite. Dans l'obscurité absolue, j'ai parcouru ainsi plusieurs kilomètres, sans savoir où j'allais... Jusqu'au moment où j'ai débouché à l'air libre, aveuglée de lumière. Je venais de surgir au-dessus d'un pré où paissaient des moutons. J'étais tout simplement dans une source !

À peine 3 % de l'eau terrestre sont consommables, le reste étant de l'eau salée. Par ailleurs, les deux tiers de cette petite fraction sont piégés dans les calottes polaires et les glaciers, donc inutilisables. Contrairement aux apparences, la quantité d'eau réellement disponible n'est donc pas illimitée.

Un liquide à tout faire

C'est la révolution industrielle, voici un siècle et demi, qui nous a rendus "aquavores"*. Dans les pays développés, plus de la moitié de l'eau prélevée est consacrée aux usages industriels. L'eau est vraiment le liquide à tout faire : on l'utilise pour nettoyer, rincer, laver, dissoudre, diluer, transporter ou refroidir. La quantité d'eau utilisée dépend de l'activité : en sidérurgie, il faut 100 000 l d'eau pour fabriquer seulement 1 kg d'aluminium ! Les papeteries et filatures sont aussi de grandes consommatrices : 40 l d'eau, par exemple, pour 1 kg de papier.

L'industrie du papier est l'une des plus grandes consommatrices en eau. C'est aussi l'une des plus polluantes pour les fleuves.

Les égouts, véritables rivières souterraines artificielles, doivent être régulièrement contrôlés pour ne pas polluer les cours d'eau dans lesquels ils se déversent.

Tanneries, conserveries, sucreries, distilleries ont aussi besoin de beaucoup d'eau : il en faut 1 000 l, par exemple, pour produire 1 l de Whisky !

Toute cette eau n'est pas perdue, puisqu'elle repart (après dépollution si possible) dans la nature. D'autres grosses consommatrices sont les centrales électriques, placées sur les fleuves, qui utilisent l'eau pour transformer de la chaleur en énergie et pour refroidir les réacteurs.

Consommateurs trop gourmands

L'agriculture n'est pas en reste. Il ne faut en effet pas moins de 4 500 l d'eau pour récolter 1 kg de riz, et 1 500 l pour 1 kg de blé. Près de 2 000 milliards de litres d'eau sont ainsi détournés pour

les besoins de l'irrigation, et retournent aux fleuves souvent chargés de produits nocifs. Enfin, les consommateurs que nous

sommes ne doivent pas oublier qu'une chasse d'eau évacue 10 l, un lave-linge ou un lave-vaisselle 40 l (dix fois plus qu'une vaisselle faite à la main) et un bain près de 200 l.

Cet aspect "utilitaire" de l'eau l'emporte, dans les esprits, sur son caractère "futile", qui, de *L'Eau vive* chantée par Guy Béart, à *La Claire Fontaine* de Georges Brassens, a inspiré bien des chanteurs et des poètes.

Eau magique

L'eau jaillissante des sources, régénérée en permanence, symbolise l'immortalité. Les sources furent longtemps considérées comme des émanations divines ; selon la légende, elles ont aussi généré des êtres au destin extraordinaire : la nymphe Jouvence, transformée en fontaine par Jupiter, avait ainsi reçu le pouvoir de rajeunir... Une autre légende rapporte que Roland de Roncevaux fit jaillir une source en frappant le roc de sa célèbre épée Durandal. À Lourdes, en 1858, une jeune fille fut le témoin de l'apparition de la Vierge dans une grotte et fit jaillir une source purificatrice en creusant le sol de ses mains. C'est actuellement le lieu de pèlerinage le plus important du monde.

Rappelons enfin que l'eau est un élément essentiel du baptême, premier des sept sacrements chrétiens, et que d'après le Coran la prière musulmane doit être précédée d'ablutions. L'eau est au cœur des religions.

L'eau est devenue, avec l'électricité, un élément essentiel de notre confort quotidien.

De l'eau au robinet

Je pouvais m'estimer heureuse, car je repartais libre vers d'autres aventures du grand cycle de l'eau. D'autres gouttes d'eau m'avaient en effet raconté avoir été moins chanceuses : elles s'étaient retrouvées captives dans une source, avaient emprunté sous la contrainte tout un réseau de canalisations artificielles, et avaient terminé leur parcours dans un lavabo !

L'eau du robinet provient de sources et de nappes superficielles (lacs, fleuves) ou souterraines (nappes phréatiques). Grenoble, par exemple, est exclusivement alimentée par des nappes souterraines, alors que Marseille s'approvisionne dans la Durance. Les Parisiens consomment aujourd'hui quotidiennement 800 millions de litres provenant pour 40 % de la Seine et de la Marne, et pour 60 % d'une cinquantaine de sources. Cette eau est temporairement stockée dans d'immenses réservoirs maçonnés, véritables caves à eau.

Potable ou non potable ?

Dans les années 1880, avec la découverte du bacille de la typhoïde et du choléra, on a compris que l'eau pouvait causer des épidémies. Est qualifiée de "potable" l'eau qui n'affecte pas la santé de ceux qui la consomment. C'est pour cette raison qu'après son prélèvement, l'eau brute est traitée dans des stations d'épuration par toute une série d'opérations (décantation*, filtrage, chloration* ou ozonation*) avant d'être acheminée jusqu'au consommateur par des canalisations.

Eau précieuse

Selon l'Organisation mondiale de la santé, 1 milliard et demi de terriens n'ont toujours pas accès à une eau saine. Les maladies transmises par l'eau tuent ainsi, chaque jour, 50 000 personnes. Le manque d'eau provoque la lèpre ou le typhus. À Calcutta, par exemple, le système d'adduction d'eau, conçu il y a un siècle pour 2 millions d'habitants, doit en satisfaire aujourd'hui sept fois plus... En Europe, il nous paraît naturel de voir de l'eau potable couler au robinet, à domicile, mais cet avantage est tout récent. À Paris, en 1700, chaque habitant ne disposait encore que de 5 litres d'eau par jour, et jusqu'au début du siècle dernier les porteurs d'eau (on en comptait jusqu'à 2 000 dans la capitale) étaient le seul moyen d'avoir de l'eau potable en ville. L'eau à domicile était un privilège. Les premiers réseaux de distribution en

L'aqueduc est un canal qui conduit l'eau d'un lieu à un autre. Celui de Nîmes (pont du Gard) traverse les ravins sur des ponts à arcades.

France furent construits vers 1860, époque à laquelle apparaissent les bornes-fontaines.

Depuis 1900, l'eau est disponible au robinet, mais en 1950, un logement sur trois ne possédait pas encore l'eau courante.

À chacun son usage...

L'actuel réseau français puise l'eau potable à des milliers de captages*, la traite dans 2 500 usines, la stocke dans 15 000 châteaux d'eau et 40 000 réservoirs, et la distribue par 700 000 km de canalisations. L'eau courante est devenue un produit à tout faire, qui sert aussi bien pour la boisson, la cuisine, la lessive ou la toilette, et qui évacue par ailleurs nos déchets. La consommation d'eau a évidemment beaucoup augmenté avec l'élévation du niveau d'hygiène, de confort et de gaspillage... Ouvrir le robinet est devenu un geste banal, et une eau disponible en permanence est un avantage que nous n'apprécions peut-être pas toujours à sa juste valeur.

... et à chacun ses goûts

La norme européenne a retenu une soixantaine de contrôles pour définir l'eau potable. Des goûteurs d'eau veillent d'ailleurs à sa bonne saveur, car l'eau a du goût du fait des minéraux qu'elle renferme. Les sels de magnésium donnent une saveur salée et amère, alors que le calcium, lié aux bicarbonates, donne un goût neutre.

L'eau peut avoir mauvais goût, être trouble et colorée, sans pour cela être nocive. Inversement, une eau claire et sans goût peut être malsaine, les virus étant invisibles...

L'eau la plus pure est l'eau distillée, puisqu'elle ne contient rien, mais elle est fade, donc désagréable à boire. L'eau idéale est celle qui possède une minéralisation moyenne.

Voici moins de deux siècles, les porteurs d'eau étaient encore le seul moyen d'obtenir de l'eau potable à domicile.

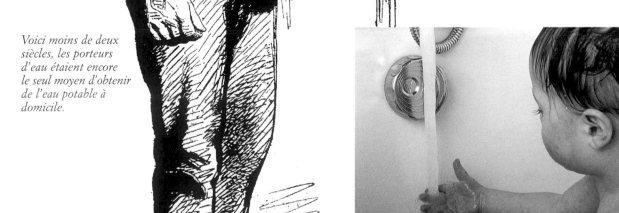

Cet enfant dans son bain ignore encore que l'eau n'a pas toujours été aussi facile à obtenir...

Le club des eaux minérales

J'allais revivre plusieurs fois cette expérience du cheminement souterrain. J'ai migré, très lentement, à travers des bancs de sables. Ce trajet eut un net avantage, celui de me débarrasser de toutes les impuretés récoltées à la surface de la Terre. En contrepartie, j'héritai de bagages plus nobles : les sels minéraux. Chargée de ces précieux éléments, j'avais pris de la valeur, et c'est ainsi que je me suis retrouvée... dans une bouteille d'eau minérale !

Les eaux souterraines se purifient d'elles-mêmes en traversant des terrains sableux, qui sont des filtres naturels. Au passage, elles se chargent en sels minéraux et deviennent ainsi magnésiennes, sulfurées, sulfatées, chlorurées ou bicarbonatées. Ces eaux, justement dites "minérales", jaillissent à des sources que l'on exploite pour leurs vertus médicinales ; car ces sels minéraux ont chacun leur utilité : le fluor est bénéfique pour les dents, le calcium pour les os, le magnésium pour les muscles et la tension artérielle, le sodium et le potassium pour le système nerveux. Les eaux minérales aident aussi à soigner les maladies respiratoires, digestives, urinaires, nerveuses, cardio-vasculaires ou cutanées, et sont devenues un produit de grande consommation.

Parcours de combattantes

À l'origine, ces eaux ne sont pourtant que de l'eau de pluie infiltrée à grande profondeur, qui a suivi un cheminement souterrain long parfois de dizaines de milliers d'années. Puis elles remontent en surface par des failles, ou bien sont exploitées à partir de puits forés. En France, les eaux de Luchon, par exemple, se sont infiltrées dans les massifs pyrénéens voici

La pluie et la neige qui se déposent sur les montagnes migrent parfois à travers des terrains poreux, véritables filtres naturels.
L'eau finalement recueillie est à la fois purifiée et chargée en sels minéraux bénéfiques pour la santé : c'est une eau minérale.
On assiste ici au trajet souterrain de l'eau d'Évian.

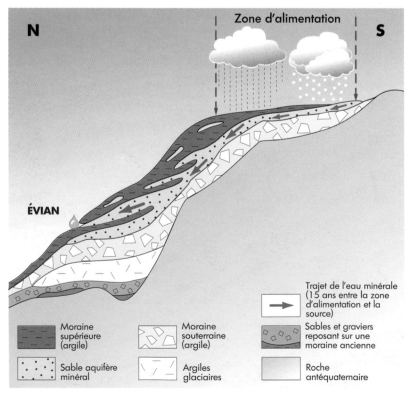

plusieurs siècles et ont circulé à 5 000 m de profondeur avant de resurgir dans la vallée. Celles d'Évian, parties d'une altitude moyenne de 800 m sur les contreforts des Alpes de Haute-Savoie, ont mis quelques dizaines d'années pour filtrer jusqu'à l'émergence.

Eau minérale ou eau de source ?

Être eau minérale, c'est appartenir à un club fermé qui a ses règles strictes : cette eau doit avoir des effets bénéfiques pour la santé. Ce sont en quelque sorte des eaux d'appellation d'origine contrôlée, leur origine souterraine profonde les mettant à l'abri de la pollution.

L'eau de source est elle aussi d'origine souterraine. Elle se distingue cependant de l'eau minérale, car elle ne peut prétendre à des effets bénéfiques pour la santé, mais n'en bénéficie pas moins d'une image de pureté. Quarante-cinq sources ont été répertoriées en France, réparties dans toutes les régions, à la différence des eaux minérales liées aux massifs montagneux. Remarquons cependant que 2 l d'eau embouteillés (de source ou minérale) coûtent autant que 1 000 l d'eau du robinet...

Incorrigibles buveurs

Quelque 40 milliards de litres d'eau embouteillés sont bus chaque année dans le monde. Les Européens en consomment à eux seuls plus de la moitié : en moyenne 68 l par an et par habitant, soit pratiquement le double des Américains. Dans le peloton de tête européen se trouve l'Italie, suivie de la Belgique, de l'Allemagne et de la France (100 l par an). La lanterne rouge est détenue par les Anglais et les Irlandais, qui en consomment moins de 9 l : une bouteille seulement tous les deux mois...

Les Italiens sont les premiers buveurs d'eau minérale en Europe.

L'eau minérale est embouteillée en usine. Les bouteilles sont soufflées pour enlever d'éventuelles particules avant d'être remplies.

L'eau et la vie

C'est par où la sortie ?

Ah, ce voyage dans le corps humain : quelle aventure ! Je ne suis pas restée longtemps dans ma bouteille. Bientôt absorbée par une bouche assoiffée, j'ai entamé un étonnant parcours à travers les cellules d'un corps humain, en y déposant les sels minéraux que je transportais. Quelques heures plus tard, mission accomplie, j'étais évacuée et me retrouvais dans la nature, heureuse de repartir pour d'autres aventures...

Par son abondance ou sa rareté, l'eau conditionne notre qualité de vie. Elle nous désaltère quand on a soif, réchauffe quand on a froid et fait pousser les plantes. Bref, l'eau est indispensable à la vie, et tous les corps vivants en sont fortement imprégnés : il y en a 95 % dans une laitue et 90 % dans une tomate. Le corps humain en contient beaucoup : l'eau représente plus de 90 % du poids total d'un fœtus ; cette part relative tombe à 75 % à la naissance, puis reste comprise entre 60 et 65 % chez l'adulte.

Pas de vie sans eau

Si l'on peut se priver de nourriture durant plusieurs semaines, il est en revanche impossible de se passer d'eau pendant plus de trois jours... L'eau est la seule boisson des animaux, et la seule aussi qui nous soit vraiment indispensable. D'ailleurs, tous les breuvages que nous avons inventés, qu'il s'agisse de la bière, du vin, ou du Whisky, contiennent avant tout... de l'eau !

Dans notre organisme, l'eau est à la fois transporteur, éboueur et lubrifiant. D'abord, elle transporte vers les cellules des substances nutritives dissoutes, puis dans son rôle d'éboueur elle nettoie l'organisme en éliminant les déchets par l'urine. L'eau est aussi un lubrifiant, puisque sans elle on ne pourrait ni cligner des yeux ni plier les genoux ! Enfin, elle contribue au maintien de nos performances physiques et intellectuelles, en agissant sur la vigilance et la

Les fruits et légumes sont parmi les aliments les plus riches en eau, mais cette teneur varie de façon importante : de 85 à 95 % pour la pêche, la tomate, la salade et le concombre ; de 5 à 12 % pour l'arachide, le blé ou le maïs.

Au Niger, comme dans tous les pays d'Afrique tropicale, il faut aller chercher l'eau parfois profondément dans le sous-sol. La vie dépend de ces puits.

concentration. Les premiers signes graves de déshydratation apparaissent pour une perte de poids en eau de 5 % ; à 15 %, c'est la perte de conscience assurée.

Le thermalisme, qui consiste à utiliser certaines eaux pour se soigner, s'est surtout développé depuis deux siècles. Ici, la station du Mont-Dore en 1910.

Un médicament utile

L'eau peut aussi être utilisée pour soigner le corps. Les Grecs accordaient aux eaux minérales des vertus diverses, mais ce sont les Romains qui sont à l'origine du thermalisme. Rome compta jusqu'à un millier d'établissements ther-

maux ! Au Moyen Âge, c'est pour les vertus de ses eaux que Charlemagne fit d'Aix-la-Chapelle sa capitale. Les Croisés soignaient leurs maladies ramenées d'Orient dans les stations pyrénéennes. Les médecins de la Renaissance vantèrent, quant à eux, les bienfaits de la thalassothérapie, qui utilise les propriétés de l'eau de mer chauffée. Colbert, au XVIIᵉ siècle, fit dresser le premier inventaire des eaux thermales françaises.

Bains et thermes

L'intérêt commercial apparaît à la fin du XVIIIᵉ siècle avec l'ouverture à Paris d'un établissement de bains où l'on trouve toutes les eaux du pays. On prépare également des bains avec les sels obtenus par évaporation de l'eau minérale à sa source, en la chauffant. La première eau minérale vendue en bouteille pour ses propriétés médicinales fut celle de Contrexeville, dans les Vosges, en 1760.

Aujourd'hui, des stations comme celles d'Évian ou de Vittel pratiquent à la fois thermalisme et embouteillage d'eaux minérales.

30 LE MONT-DORE. — L'Établissement Thermal. — La Source Madeleine. — LL.

La pollution des eaux

Ce que je ne savais pas encore, c'est qu'on allait me faire jouer un rôle bien moins noble. Après m'être retrouvée dans la rivière, j'eus la désagréable surprise d'être pompée vers une tannerie. Et s'il est une activité polluante, génératrice d'odeurs nauséabondes, c'est bien celle-là ! Ce fut un moment difficile à vivre, mais après un court séjour en station d'épuration, j'ai finalement retrouvé ma pureté.

Quand l'homme rejette ses déchets, que ce soit sur terre, sur mer ou dans les airs, il pollue l'eau. Une simple pluie peut déposer sur le sol des poussières nocives en suspension dans l'atmosphère ; une averse d'orage survenant après une période sèche entraîne avec elle vers la rivière les polluants déposés sur le sol. La pollution des eaux a de nombreux visages, celui des arbres dépérissant sous les pluies acides, des rivières verdissant sous les phosphates ou des océans souillés par le pétrole des marées noires. On a certes inventé les moyens de dépolluer, mais il serait plus simple et moins coûteux de ne pas polluer...

Pollution tous azimuts

Les eaux usées domestiques véhiculent des graisses, savons, matières organiques et micro-organismes venant de la cuisine, de la salle de bains ou des toilettes. Les nappes phréatiques, qui alimentent les sources, reçoivent par infiltration les polluants chimiques de certaines activités industrielles. À titre d'exemple, la Méditerranée reçoit à elle seule, chaque année, 120 000 tonnes de pétrole, 600 000 tonnes de détergents et 30 000 tonnes de métaux lourds. Dans les océans, les fleuves déversent tous les ans des hydrocarbures, des résidus chimiques, des métaux lourds et des boues d'épuration. Tous ces déchets s'accumulent au fond de la mer.

Les trois pollutions

Il existe trois formes de pollution de l'eau : physique (particules en suspension), chimique (pesticides, hydrocarbures, nitrates, phosphates, métaux lourds) et bactériologique

L'eau rejetée par les hommes n'est plus utilisable telle qu'elle. Pour retrouver sa pureté, elle doit être traitée dans des stations d'épuration.

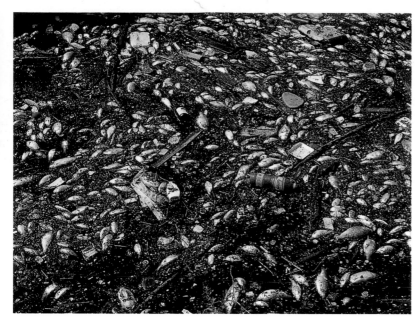

Le déversement de produits chimiques dans les fleuves a des conséquences dramatiques. Les poissons en sont souvent les premières victimes.

ont triplé en 40 ans, rendant parfois l'eau impropre à la consommation. À l'origine, le nitrate est pourtant un élément bénéfique qui permet la croissance des végétaux, mais l'homme a déséquilibré le processus par ses excès. Les phosphates, eux, favorisent la prolifération d'algues qui verdissent la surface des mares et des petites rivières où l'eau est stagnante (eutrophisation), asphyxiant toute vie en dessous.

Fleuves sacrés

Chez les peuples anciens, les fleuves étaient considérés comme des êtres vivants que l'on devait respecter. Pour les Grecs, certaines sources étaient douées de mémoire. Comme elles retenaient les paroles et les serments des hommes, il était impensable de les souiller. Chez les Perses, uriner dans un fleuve était sanctionné par la mort... Qu'en est-il aujourd'hui pour ceux qui déversent des déchets nocifs dans les rivières ?

(virus, parasites). Le rejet accidentel d'effluents* industriels ou le débordement des égouts lors d'un orage violent peut entraîner la mort de milliers de poissons. Ainsi, le déversement de mercure et de pesticides à Bâle, en 1986, provoqua la mort de 200 000 anguilles dans le Rhin.

Ces pèlerins qui se baignent dans le Jourdain rappellent le caractère purificateur et sacré de l'eau.

Des engrais nocifs

Aux agriculteurs, on reproche surtout l'utilisation d'engrais en excès et l'élevage industriel, qui chargent les nappes phréatiques en phosphates et en nitrates. Les pesticides et les herbicides, eux, polluent par ruissellement des eaux de surface. Dans certaines régions agricoles, en Bretagne notamment, les teneurs en nitrate

De l'énergie à revendre

J'espérais bien ne plus avoir à exécuter un aussi sale travail. Je souhaitais pour l'instant prendre de la hauteur ; mon vœu fut exaucé quand, après avoir été absorbée dans un stratus, je suis retombée en neige sur le sommet d'une montagne. Au printemps suivant, redevenue liquide, je me retrouvai dans un lac de barrage situé en contrebas. Attirée par la gravitation, je traversai ce barrage en entraînant au passage la turbine d'un turboalternateur : j'étais ravie d'avoir contribué à fabriquer de l'électricité.

Une masse d'eau qui se déplace transporte beaucoup d'énergie, au point de pouvoir charrier d'énormes troncs d'arbres, ou d'emporter des barrages lors d'inondations catastrophiques... Depuis longtemps, la force mécanique de l'eau des fleuves a donc été mise à profit, notamment pour transporter des matériaux sur de grandes distances.

Retenue par des barrages, l'eau représente une énergie stockée considérable. Ici, le barrage de Marèges, sur la Dordogne.

De la roue à aubes au barrage

Les Grecs de l'Antiquité ont construit des roues à aubes afin d'exploiter la force hydraulique. Le moulin à eau fut longtemps la source d'énergie mécanique la plus répandue, pour moudre le grain par exemple. Jusqu'au Moyen Âge, l'eau fut ainsi la principale source d'énergie, l'équivalent du pétrole aujourd'hui. Au XIXᵉ siècle, l'invention de l'alternateur (qui convertit le courant continu en courant alternatif) a permis de transporter le courant électrique sur de grandes distances.

Au Moyen Âge, grâce à des moulins de ce type, l'eau était la source d'énergie la plus répandue. Depuis le XIXᵉ siècle, les moulins ont cédé la place à des complexes industriels, alimentés par l'électricité.

Ainsi, les turbines transforment-elles l'énergie mécanique fournie localement par l'eau en énergie électrique utilisable ailleurs. En 1889, le Français Aristide Bergès installa dans les Alpes la première turbine électrique ; cette nouvelle source d'énergie fut baptisée la "houille blanche". Pourtant, seuls 2 % de l'électricité mondiale proviennent de la force de l'eau, à l'exception de la Norvège, qui tire toute son électricité de l'énergie hydraulique. La plupart des barrages ont aujourd'hui des buts multiples : les 35 000 barrages actuellement en service dans le monde servent à la production d'électricité, à l'irrigation, à la maîtrise des crues et à l'alimentation en eau potable.

L'énergie des entrailles de la terre

L'eau a le pouvoir de stocker beaucoup de chaleur. La machine à vapeur, inventée par le Français Denis Papin et l'Anglais Thomas Newcomen au début du XVIIIᵉ siècle, et qui fonctionne à partir de la vapeur d'eau, a changé la face du monde. Cette énergie, facile à obtenir et bon marché, est à l'origine de l'ère industrielle, où la force de l'homme a été remplacée par celle, plus importante, des machines.

La géothermie, c'est-à-dire l'exploitation de la chaleur de la Terre par l'intermédiaire de l'eau, est aussi une ressource intéressante, soit pour chauffer directement des habitations, des serres, ou des piscines, soit pour produire de l'électricité à partir de la vapeur recueillie. Les régions favorables sont toutefois peu nombreuses : Islande, Nouvelle-Zélande, Italie, Japon et Philippines.

La force des marées

L'énergie de l'eau, c'est également celle des marées. Les plus anciens "moulins marémoteurs" ont été construits peu après l'an 1 000, à Douvres et à Venise, puis sur les côtes de Bretagne et dans l'île de Ré. La première centrale utilisant l'énergie des marées pour produire de l'électricité a été construite en 1966 en Bretagne, et reste unique au monde. C'est une digue de 700 m de long barrant l'estuaire de la Rance, afin que le flux et le reflux de la mer actionnent ses turbines. Sa puissance reste cependant modeste : 20 % de celle d'un seul réacteur nucléaire !

Dans cette usine hydroélectrique, en faisant tourner des turbines, l'eau transforme son mouvement en énergie électrique.

Les enjeux de l'eau

Au pied du barrage coule une petite rivière qui s'engage dans de profondes gorges. Le courant prend de la vitesse, pour le plus grand plaisir de quelques jeunes sportifs amateurs de kayak. Après avoir contribué à dépolluer puis à fabriquer de l'énergie, pourquoi n'apporterais-je pas un peu de plaisir ? Mais impossible d'oublier cependant que, si elle permet le jeu, l'eau reste avant tout un enjeu !

L'eau est très inégalement répartie à la surface du globe. Dans les pays développés qui en disposent à profusion, on a souvent oublié sa valeur, alors qu'un terrien sur trois n'a pas l'eau courante. Ceci est d'autant plus grave que les gaspillages sont énormes, et que l'on restitue le plus souvent cette eau à son milieu naturel après l'avoir souillée.

Les pluies abondantes d'Indonésie permettent la culture du riz, qui pousse "les pieds dans l'eau et la tête au soleil".

Pénurie d'eau

On considère qu'il y a pénurie d'eau lorsqu'un pays ne peut fournir plus de 1 million de litres par an et par habitant. Le seuil de sécurité est estimé au double. Vingt-neuf pays dans le monde sont en dessous du seuil de pénurie, et une centaine en dessous du seuil de sécurité. À Djibouti, par exemple, on ne dispose que de 24 000 l par an et

par habitant, contre 700 millions en Islande ! En théorie, un Islandais dispose donc de la même quantité d'eau que 25 000 Djiboutiens ! Vers 2025, quelque 3 milliards de terriens, c'est-à-dire 4 terriens sur 10, devraient se trouver sous le seuil de pénurie.

La croissance démographique, l'augmentation des besoins et l'extension

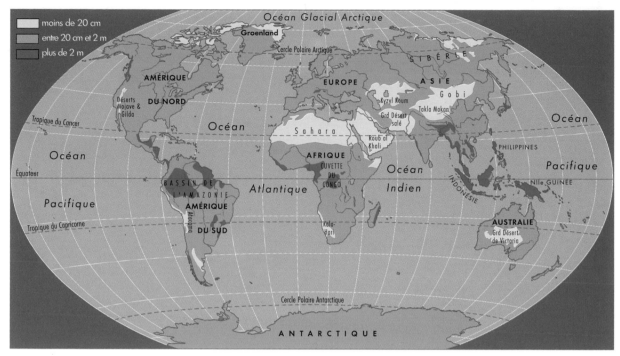

Carte des niveaux annuels de pluviosité.

dcs pollutions font que les hommes auront de moins en moins d'eau pure à se partager. L'eau douce est aujourd'hui le bien le plus précieux : attention à l'économiser (en luttant contre le gaspillage), et à la protéger (en réduisant la pollution).

L'or bleu

La valeur économique de l'eau ne cesse d'augmenter. Certains pays à la géographie montagneuse sont de véritables châteaux d'eau pour les États voisins ; ils protègent donc leurs ressources. L'eau a toujours constitué un moyen de pression. Dans *Jean de Florette* et *Manon des sources*, Marcel Pagnol traduit bien les conflits et les excès auxquels peuvent conduire la possession d'une source d'eau. À plus grande échelle, la dérivation de fleuves est souvent une cause de discorde entre pays, et des opé-

rations militaires sont parfois effectuées pour contrôler une source ou un fleuve. L'or noir, le pétrole,

a encore de beaux jours devant lui, mais l'or bleu pourrait bien prendre de plus en plus d'importance.

Dans l'œuvre de Pagnol (ici adaptée au cinéma par Claude Berri), Manon bouche la source du village en amont pour se venger des habitants.

La molécule H₂O

Toutes ces aventures m'ont fait parcourir la Terre entière, mais je ne sais pas encore très bien qui je suis. Tout a commencé pour moi par le mariage d'un atome d'oxygène avec deux atomes d'hydrogène. Le fruit de cette union est une molécule baptisée par deux lettres entourant un chiffre : H₂O. Un nom bien dépouillé pour l'actrice que je suis, capable de changer de visage à tout moment. Car selon les circonstances, je peux être liquide, solide ou gazeuse. Et j'avoue qu'il ne me déplaît pas de jouer tour à tour ces trois rôles !

En regardant l'eau couler, nous avons de la peine à imaginer que des milliards et des milliards de molécules invisibles défilent sous nos yeux, chacune d'elles étant constituée d'atomes d'oxygène et d'hydrogène.

Le défilé des molécules

Dans sa structure intime, la molécule d'eau se présente un peu comme une tête de Mickey : la tête correspond à l'atome d'oxygène, les deux oreilles étant les atomes d'hydrogène. Ces trois atomes sont disposés en triangle, formant une sorte de compas dont l'ouverture fait un angle de 105° : l'atome d'oxygène est à la jonction des deux branches (qui mesurent 1/10 de millionième de millimètre), les deux atomes d'hydrogène se trouvant aux pointes. Et il faut

L'eau peut prendre trois états : dans la glace, les molécules sont très liées entre elles, tandis que dans la vapeur d'eau et l'eau liquide elles sont plus libres.

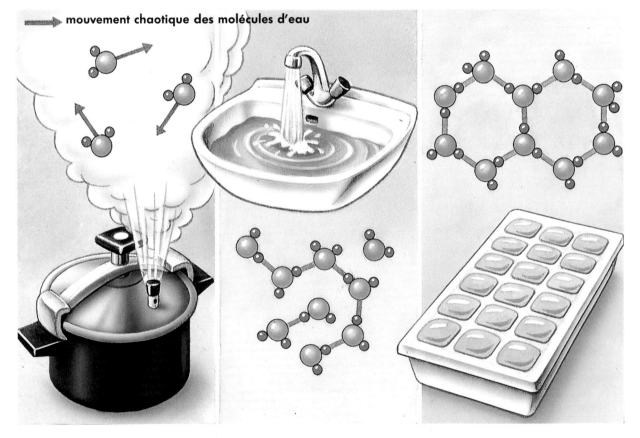

mouvement chaotique des molécules d'eau

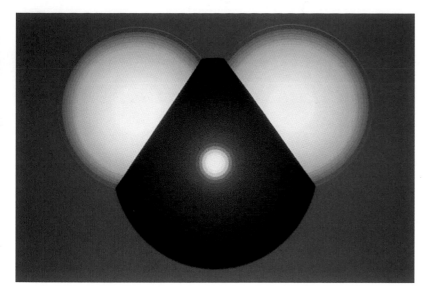

La molécule d'eau est un assemblage de deux atomes d'hydrogène et d'un atome d'oxygène, fixés selon une configuration bien précise, que l'on peut schématiser par une tête de Mickey.

10 millions de milliards de molécules pour former une seule goutte d'eau...

L'eau dans tous ses états

L'eau est un élément caméléon, qui peut prendre trois visages : solide, liquide, ou gazeux, selon la température et la pression. Ces différentes formes s'expliquent par la façon dont les molécules sont attachées entre elles : dans la vapeur d'eau elles sont indépendantes, dans l'eau liquide elles vont par paires, dans la glace elles sont groupées dans une structure hexagonale formant des cristaux.

Quand l'eau est sous forme solide, cela signifie que ses molécules se tiennent par les oreilles du Mickey. Dans cette configuration, les molécules ne peuvent plus se déplacer mais seulement vibrer. De plus, elles sont maintenues à distance fixe, avec des vides entre elles. Voilà pourquoi, en gelant, l'eau augmente de volume et fait éclater les récipients qui la contiennent, ou les roches dans lesquelles elle s'est infiltrée.

Un volume plus grand pour une quantité identique entraîne aussi une baisse de densité, et c'est pourquoi la glace flotte.

L'eau gèle à 0 °C et bout à 100 °C sous une pression normale ; quand la pression baisse (à altitude plus élevée) elle bout alors à moins de 100 °C. Si la température repasse au-dessus de 0 °C, la structure cristalline de la glace se désorganise, et les molécules d'eau roulent librement les unes sur les autres pour redonner un état liquide.

Laplace et Lavoisier

La véritable nature de l'eau n'est connue que depuis deux siècles. Six ans avant la Révolution française, les deux grands chimistes français Pierre Simon de Laplace et Antoine Laurent de Lavoisier ont réalisé la première synthèse de l'eau. En brûlant de l'hydrogène et de l'oxygène dans une cloche en verre, ils ont vu des gouttelettes d'eau se condenser sur les parois. À l'inverse, la décomposition de l'eau s'effectue par électrolyse : en plongeant dans de l'eau des fils de cuivre et de platine connectés à une pile, les chimistes ont pu, en 1800, séparer ses deux gaz constitutifs et donc mesurer leur volume respectif. L'hydrogène et l'oxygène étant dans la proportion de deux pour un, il devenait possible d'écrire la célèbre formule chimique de l'eau : H_2O.

Appareil de Lavoisier et de Meunier, servant à la décomposition de l'eau en oxygène et en hydrogène (gravure de 1784).

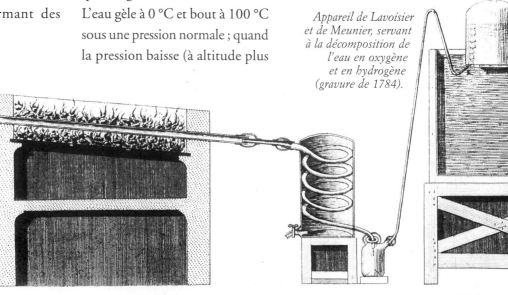

Le grand cycle de l'eau

Depuis les origines de la Terre, l'eau suit un mouvement perpétuel entre les océans, les continents et l'atmopshère. Dans un texte indien vieux de 3 000 ans, on peut lire : « De l'océan viennent les nuages. Des nuages nous vient la pluie. De la pluie naissent les rivières. Et des rivières naît l'océan. Ainsi va le cycle des eaux. Ainsi va le cycle du monde. »

L'eau tient rarement en place : aujourd'hui elle est source, demain elle sera fleuve, après-demain océan. Mais qu'elle soit liquide, solide ou vapeur, qu'elle soit rivière, glacier ou nuage, c'est toujours la même eau.

Le temps de séjour moyen d'une molécule d'eau est de neuf jours dans l'atmosphère, un an dans les cours d'eau, 3 000 ans dans les océans, 5 000 ans dans les nappes phréatiques et jusqu'à 12 000 ans dans les glaciers. La masse d'eau toujours en mouvement est évaluée à 1 000 milliards de litres par seconde.

Un principe simple

De la surface des océans, d'où elle s'évapore sous la chaleur du soleil, l'eau s'élève dans l'atmosphère sous forme de vapeur invisible. En prenant de l'altitude, l'air se refroidit et la vapeur d'eau se condense pour former de fines gouttelettes et donner ainsi la grande famille des nuages. Sous l'effet de la pesanteur, l'eau retombe en surface sous forme de pluie, et s'il fait froid, en flocons de neige ou en grêle. Sur le sol, elle ruisselle pour gonfler les cours d'eau ou s'infiltre pour alimenter des nappes souterraines. Ce grand voyage s'achève à l'embouchure des fleuves. L'eau est alors revenue à son point de départ : la mer.

Une science nouvelle

La compréhension de l'existence d'un cycle de l'eau a fait naître une science nouvelle, l'hydrologie. Le Français Bernard Palissy, au XVIe siècle, a le premier décrit ce cycle de l'eau. Puis l'abbé Edme Mariotte, un siècle plus tard, a montré que la pluie ne se contente pas de ruisseler en surface, mais s'infiltre aussi dans les sols poreux. Pierre Perrault (frère de l'auteur des célèbres contes), le mathématicien Alexis Clairaut et le naturaliste Georges Louis Buffon ont ensuite calculé les volumes de pluie captés par le bassin de la Seine, pour les comparer au débit du fleuve à son embouchure : il apparut qu'il y avait bien relation entre les pluies, leur écoulement et leur évaporation.

Depuis plus de deux siècles et demi, nous savons que la même eau est recyclée sans cesse. Dès qu'elle s'est condensée à la surface du globe, voici un peu plus de 4 milliards d'années, l'eau a entamé son cycle, éternellement recommencé. Depuis une trentaine d'années, l'informatique permet, par des modèles mathématiques, une meilleure gestion des données hydrologiques.

Transformation de l'eau, chauffée par le soleil, en vapeur d'eau. Plus légère que l'air, cette vapeur s'élève, se refroidit, se condense et donne ainsi naissance aux nuages, voire aux précipitations (pluie ou neige). L'évaporation est six à sept fois plus importante sur les océans que sur les continents. Sur ces derniers, les précipitations sont en revanche plus élevées que l'évaporation.

Évaporation

Océan

*Après ruissellement et infiltration, l'eau tombée du ciel sous forme de pluie
ou de neige retourne à son réservoir d'origine, l'océan.
Ce grand cycle de l'eau recommence sans fin
depuis l'origine de la Terre.*

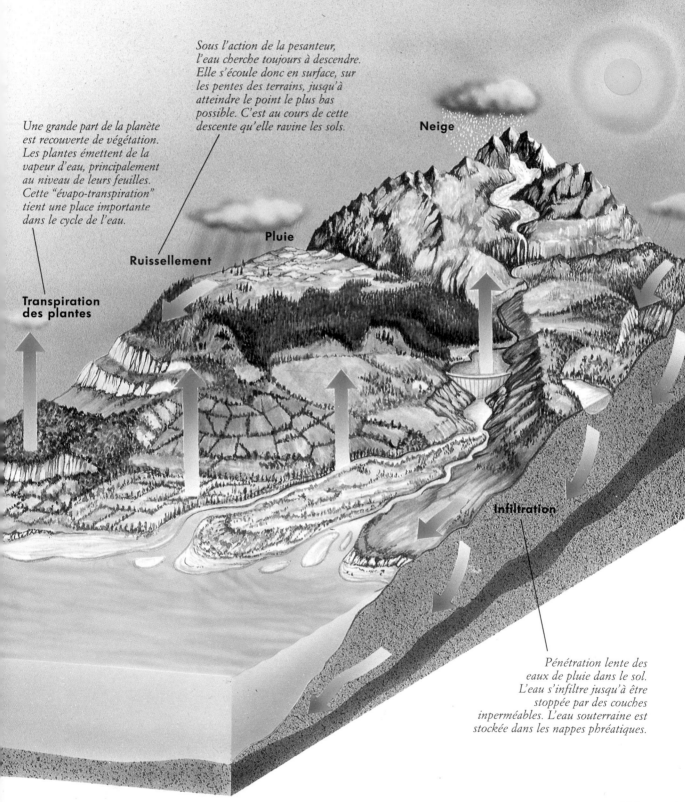

*Sous l'action de la pesanteur,
l'eau cherche toujours à descendre.
Elle s'écoule donc en surface, sur
les pentes des terrains, jusqu'à
atteindre le point le plus bas
possible. C'est au cours de cette
descente qu'elle ravine les sols.*

Neige

*Une grande part de la planète
est recouverte de végétation.
Les plantes émettent de la
vapeur d'eau, principalement
au niveau de leurs feuilles.
Cette "évapo-transpiration"
tient une place importante
dans le cycle de l'eau.*

Pluie

Ruissellement

**Transpiration
des plantes**

Infiltration

*Pénétration lente des
eaux de pluie dans le sol.
L'eau s'infiltre jusqu'à être
stoppée par des couches
inperméables. L'eau souterraine est
stockée dans les nappes phréatiques.*

41

L'eau extraterrestre

Prisonnière de la planète Terre, je rêve quelque-fois d'aller voir ailleurs. Surtout depuis qu'une compagne de rencontre m'a dit avoir vécu, autrefois, sur un noyau de comète ! Un jour – il y a des millions d'années de cela – la trajectoire de cette comète a rencontré celle de la Terre. Pour les animaux et la végétation qui se trou-vaient là, ce fut un cataclysme. Mais la glace vaporisée dans l'atmosphère après la collision est venue enrichir le stock d'eau de la Terre.

La Terre, la planète bleue, est un cas unique : c'est le seul astre connu qui possède de l'eau liquide en surface. Mais l'eau existe ailleurs dans l'univers sous forme de molécules plus simples. Bien qu'aucune autre planète du système solaire ne possède d'océans, il est maintenant certain qu'il y en eut autrefois sur Mars, à en juger par les rivières fossiles, les lacs et diverses formes d'éro-sion visibles à la surface de la planète rouge.

Les boules de neige du cosmos

Sous forme de glace, l'eau consti-tue l'essentiel du noyau des comètes ; celles-ci sont en quelque sorte d'énormes congères, des boules de neige sale de plusieurs kilomètres de diamètre, voire des dizaines de kilomètres. De la glace recouvre aussi la surface de plusieurs satellites qui orbitent autour des planètes géantes : Jupiter, Saturne, Uranus et Neptune. Les anneaux qui encerclent ces mêmes planètes – tout particulièrement Saturne – sont un immense rassemblement de blocs de glace tournant en rangs serrés autour d'elles. Les plus gros sont de

Le satellite Seasat, représenté en orbite, avait pour objet l'étude des océans.

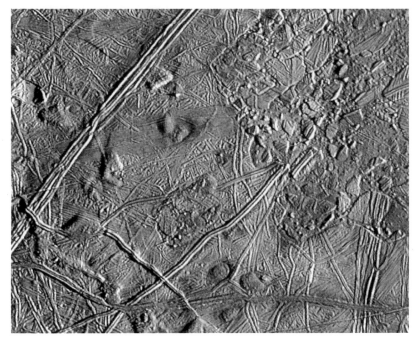

véritables icebergs cosmiques de plusieurs kilomètres de large ; les plus petits sont de simples glaçons. Le cas le plus extraordinaire est sans doute celui d'Europa, l'un des quatre gros satellites de Jupiter, dont la taille est à peu près celle de notre Lune. En 1997, la sonde spatiale Galiléo a photographié à sa surface une immense banquise craquelée de quelques mètres d'épaisseur, sur laquelle on distingue aussi des icebergs emprisonnés qui hérissent sa surface ! Sous cette couverture de glace semble s'étendre un immense océan sur l'ensemble du satellite, qui serait chauffé par des volcans sous-marins. On n'exclut pas non plus qu'une forme de vie bactérienne pourrait exister dans cet océan. Autre phénomène tout aussi étonnant : en 1986, la sonde Voyager-2 a photographié à la surface de Triton, la plus grosse lune de la planète Neptune, des épanchements ayant l'aspect d'un sorbet ; il s'agirait de geysers... de glace !

L'eau cosmique

L'eau peut se former dans le cosmos lorsque certaines conditions sont remplies : une température inférieure à 3 000°C et peu de rayonnement ultraviolet, pour ne pas briser les liaisons de ses atomes. Des molécules d'eau simplifiées, avec un atome d'oxygène associé à un seul un atome d'hydrogène (au lieu de deux dans l'eau moléculaire) flottent ainsi librement dans le vide cosmique. Cette pseudo-molécule, que les chimistes appellent le "radical hydroxyle", a été détectée il y a une trentaine d'années par les radioastronomes dans les nuages interstellaires. Si cette molécule trouve un environnement favorable, elle peut donner l'eau que nous connaissons.

Lexique

Les mots cités dans le lexique sont signalés par un astérisque lors de leur première apparition dans le texte.

Aquavore : gourmand en eau.

Aquifère : qualifie la partie du sous-sol composée de roches poreuses (grès, sables) qui s'imprègnent d'eau comme une éponge.

Calotte glaciaire : couche de glace recouvrant une terre masquée en permanence par celle-ci.

Captage : prélèvement d'eau par forage dans une nappe aquifère.

Chloration : traitement chimique de l'eau par addition de chlore.

Concrétions : roches formées artificiellement par les dépôts de matière provenant d'une eau qui s'est évaporée.

Décantation : dépôt de particules en suspension dans un liquide.

Effluent : pollution liquide.

Érosion : désagrégation des roches sous l'effet de l'eau et du vent.

Hydrographie : géographie des cours d'eau.

Inlandsis : glacier continental très étendu (plus d'un million de km²) et très épais (jusqu'à 3 000 ou 4 000 mètres d'épaisseur).

Ozonation : traitement physique de l'eau par injection de gaz ozone.

Phréatique : une nappe phréatique est une nappe d'eau souterraine qui alimente des sources ; synonyme d'aquifère.

Stratigraphie : disposition en couches successives ; empilement de différents terrains géologiques selon leur âge.

Références iconographiques

Textes introductifs illustrés par Frantz Rey.

Couverture g : © PIX ; **d :** © Japack / SUNSET – **Pages de gardes :** © PIX –
Page 6 h : © PIX ; **b :** © Bertrand / EXPLORER – **8 :** dessin de E. Obadia –
9 h : carte de D. Horvath ; **b :** © NASA / Ciel et espace – **10 :** dessin de E. Obadia –
11 h : dessin de E. Obadia ; **bg :** © Pierre Kohler ; **bd :** © Prud'homme / EXPLORER –
12 : © Pierre Kohler – **13 h :** cartes de D. Horvath ; **b :** © Ferrero / EXPLORER –
14 : © Leroux / EXPLORER – **15 h :** © Girard / EXPLORER ; **b :** © CNES / Dist SPOT IMAGE /
EXPLORER – **16 :** © Ardito S. / Panda Photo / BIOS – **17 h :** © Gladu / EXPLORER ;
17 b : © Pierre Kohler – **18 :** © Courau / EXPLORER – **19 h :** © Szabo / EXPLORER ;
b : Archives AKG Berlin / © ÉDIMÉDIA – **20 :** © Autenzio / EXPLORER –
21 h : © Gohier / EXPLORER ; **b :** © Nardin / EXPLORER – **22 :** dessin de E. Obadia ;
23 hg : dessin de E. Obadia ; **hd :** © Planet Earth / Coomber / PIX ; **b :** © Pierre Kohler –
24 : © Le Toquin / EXPLORER – **25 h :** © Gunther / BIOS ; **25 b :** © Charmet / EXPLORER –
26 : © Jourdan / EXPLORER – **27 g :** © Bertrand / EXPLORER ; **d :** © Trois / EXPLORER –
28 : dessin de G. Macé – **29 h :** dessin de F. Rey ; **b :** © Damase / EXPLORER –
30 : dessin de G. Macé – **31 h :** © Abcoog / EXPLORER ; **b :** © Bertrand / EXPLORER –
32 : © Jalain / EXPLORER – **33 h :** © Frebet / BIOS ; **b :** © Bertrand / EXPLORER –
34 : © Le Bastard / EXPLORER – **35 h :** © Pujebet / EXPLORER ; **b :** © Lescouret /
EXPLORER – **36 :** © Pierre Kohler – **37 h :** carte de D. Horvath ; **b :** © B. Prim / SYGMA –
38 : dessin de G. Macé – **39 h :** © Pantages / Phototake / CNRI ;
b : Paris, Bibl. Nationale de France © GIRAUDON – **40-41 :** dessin de P. Morin –
42 : © DITE / NASA – **43 h :** © NASA / Ciel et Espace ; **b :** © ESA / Ciel et Espace.